남은 내 세상의 값을 구하시오

남은 내 세상의 값을 구하시오

발　행 | 2023년 08월 18일
저　자 | 윤서담
펴낸이 | 한건희
펴낸곳 | 주식회사 부크크
출판사등록 | 2014.07.15.(제2014-16호)
주　소 | 서울특별시 금천구 가산디지털1로 119 SK트윈타워 A동 305호
전　화 | 1670-8316
이메일 | info@bookk.co.kr

ISBN | 979-11-410-4049-9

www.bookk.co.kr

남은 내 세상의 값을 구하시오

윤서담 지음

차례

2장 정신승리

3장 꿈

작가의 말

|프롤로그|
그 느낌에 다시 한번 취해 보고 싶어서

어릴 적 책을 읽기 위해서가 아닌 그냥 구경하며 놀기
위해서 도서관에 간 적이 있었다. 친구들과 함께 시시한
이야기를 속닥거리다 옆 책장에 꽂혀 있던 책 한 권에
눈길이 갔는데 그곳에는 표지가 아름다운 책 한 권이 꽂혀
있었다. 어렸기에 내용도 보지 않고 표지가 예쁘다는 이유로
냉큼 그 책을 빌려왔었는데 빌려온 그 책을 읽었을 때의
느낌이 몇 년이 지난 아직도 생생하다. 몽글몽글하고
울렁이는 그런 느낌이 들었다. 그 후 난 작가의 꿈이
생겼다. 누가 왜 그 꿈을 가지게 됐냐 물었을 때 했던 대답은
"예전에 책 한 권을 보고 나도 이런 글을 써서 누군가 내
책을 읽고 꿈을 가지게 되었으면 좋겠어서."라는 마음에도
없는 대답을 했었다. 몇 년이 지난 후 처음으로 이런 글들을
쓰며 진짜 내가 왜 그랬는지를 알게 되었는데 그것은 그
책을 읽었을 때의 난 그 글의 분위기에 취했기 때문이었다.
몽글몽글하고 울렁이는 그런 바다 같은 느낌. 그 느낌에 난
취했었다. 지금 다시 그 질문을 받는다면 난 "그 느낌에 다시
한번 취해 보고 싶어서"라고 말하겠다.

1장 진심고백

착각 속에서

이 모든 게 착각이라면 난 착각 속에 살고 싶다.

어리석게 품었던 환상은 꿈처럼 쉽게 깨졌고, 환상 속에서
행복했던 것보다 더한 허무함이 사무쳤다. 이건 아마도
환상의 대가이겠지.

난 이 모든 환상을 깨버리고 자욱한 현실을 살아가야 하나,
아니면 쉽게 깨지지 않을 더 견고한 환상을 만들어야 하나.
후자를 선택한다면 난 분명 그 누구보다도 행복할 것이다,
모든 현실을 볼 수 없겠지만 그게 무슨 상관이 있을까.

산소호흡기

하루하루를 버티는 게 숨이 찬다. 물속에 강제로 담겨 호흡이
끊어질 때까지 누군가 위에서 누르고 있는 느낌이다.

넌 내가 죽기를 바라는 거니. 물속에서 숨 쉬는 법을
터득하길 바라는 거니. 네가 좋은 의도로 날 여기 담갔다
할지라도 그런 너의 마음은 잘 모르겠고 지금의 내가 힘들다.

점점 빨라져 가는 호흡은 언제 끊어질지 모른다는 불안함을
자아낸다. 그 불안감 덕에 호흡은 더욱 빨라지고 거칠어져만
간다.

난 지금 산소호흡기가 절실하다.

어쩌면 이게 마지막 기회일지도

어쩌면 이게 마지막 기회일지도 모르겠다.

앞으로 내게 다가올 기회는 많겠지만 그 기회들을 내가
언제까지 잡을 수 있을까. 기회는 그냥 잡을 수 있는 것이
아니기에 한도가 생겨버린다.

저 기회를 잡기 위한 도약이 100% 성공일 수 없다. 그다음의
기회 역시도 잡을지 못 잡을지 알 수 없다. 이것이 도약일까,
도박일까.

한 번의 도약 역시 그냥 생기는 것은 아니기에 지친다.

실패하면 성공할 때까지 다시 시도하면 된다. 근데 이번에도
실패하면 다음 시도의 엄두를 낼 수가 없을 것 같다는
생각이 든다.

한 번 실패하고, 두 번 실패하고, 세 번 실패해도 난 계속
똑같이 도약할 수 있을 것인가.

어쩌면 이게 마지막 기회일지도 모르겠다.

가득히 안아주라 부족한 내가 채워질 수 있게

미안하다. 많이 부족한 나라서.

이런 날 네가 채워주면 안 될까. 네가 거절한다면 부족한
나로 살아가려 한다.

네가 날 안아주면 내가 채워질 수 있을까. 껍데기 안으로는
텅 비어버린 난 네가 안아주는 거로 채워질 수 있을까.

그냥 안아주라. 채워지지 않아도, 채울 수 없어도 그냥
안아주라. 그딴 포옹 하나가 뭐라고, 사람 하나를 채울 수
있을까. 채워지는 느낌이 들어도 그건 한순간 다가오는
착각이라 달콤하기만 하다.

사탕이 입안에서 녹듯, 네 온기도 내 안에서 녹아주라.

덩어리

명치 부근에 주먹만 한 덩어리가 껴있다. 덩어리는 살짝
물컹할 때도, 액체처럼 흘러내릴 때도 있다.

이런 덩어리가 몸 안에서 흐른다 생각하면 갑자기 속이 안
좋아진다. 이런 덩어리가 늘 박혀 있다가 종종 사라질 때가
있는데 그 순간도 그다지 달갑지 않다. 늘 껴있던 덩어리가
사라진 속은 갑자기 텅 비어버린 것에 대한 공허함이 맴돌아
메스꺼워진다.

이 글을 쓰는 지금도 덩어리는 계속 박혀 있다.

널 어쩌면 좋겠니.

너 요즘 나아졌다

"너 요즘 나아졌다."

그런 네 말에 순간 대답이 망설여졌다.

내 인생에 나아진 것이라곤 하나도 없는 데 무엇이
나아졌다는 것일까.

하나도 안 나아졌다는 게 사실인데, 그 말을 꺼내지 못했다.
사실대로 말하면 너에게 날 조금 더 돌봐 달라는 칭얼거림이
될까 두려워서.

"그런가."

확답 없는 어색한 대답만 나왔다.

새벽 중독

새벽의 하늘을 아는가.

어둠이 사라지고 빛이 조금 스며들어 어둡지만 밝아 보이는
그런 파란 밤하늘을 아는가. 난 그 시간의 밤하늘이 좋다.

여름의 매미가 시끄럽게 울어도, 겨울의 찬 바람이 매섭게
불어도 그때의 밤하늘은 그저 아름다울 뿐이다.

그런 하늘은 향도 좋아서 바람을 잔뜩 들이마시게 유혹하고
들이마신 바람은 날 새벽에 취하게 한다.

다시 한번 그 새벽에 취하고 싶다.

떠나지 말아 달라 하면 머물러 줄 테야

주제 모르는 손이 네 옷 끝을 잡았다.

"…"

뒤돌아보는 네게 하고 싶은 말은 많지만 할 수 있는 말이
없어 입만 뻐끔거렸다.

네가 착한 사람이란 걸 안다. 그래서 네게 떠나지 말아 달라
하면 머물러 줄 거란 것도 알고 있다.

그래서 잡을 수가 없다. 너까지 이곳에 머무르게 될까 봐. 내
외로움 하나 달래자고 널 잡을 수가 없었다. 넌 나와 달리
멀리 떠날 수 있잖냐. 그런 널 붙잡고 싶다는 마음은
굴뚝같지만, 이 마음 하나는 이기적이기에 차마 따를 수가
없다.

주제를 모르는 건 손 하나로 족했으니.

애타는 손을 달래 네 옷 끝을 놓아주었다.

햇볕에 말린 장미에선 단 향이 난다

이 장미들을 가득 품에 안고 너에게 찾아갈게. 네 파도에
깨져 장미꽃의 꽃잎들이 흩어질 때 우리 그 장미 잎에
휘말려보자. 그럼 그땐 너에게도, 나에게도 단 향이 나겠지.
우리 장미 향 안에서 단 사랑을 하자

장미의 꽃말은 열렬한 사랑이라 하네. 우릴 둘러싼 젖은
장미들이 촉촉한 사랑을 말해줄 거야. 우리 장미 향 안에서
촉촉한 사랑을 하자.

때로는 장미 가시에 찔려 아프기도 하겠지. 우린 그 가시를
무서워하지 말고 있는 힘껏 함께 찔리자. 잔뜩 피를 흘리고
다시 사랑하자. 붉은 장미처럼 붉은 피를 흘리며 마음껏
사랑하자.

나의 바다

내 바다야, 이리로 오라.

커다란 파도 품고, 시원한 바람 타고 나에게로 오라.

나의 바다야 날 힘껏 내려쳐 내 세상을 너로 만들어주라.
내가 숨 쉬는 공기가 네 안에서 맴돌도록, 보글보글 거품이
되어 네 안을 맴돌도록.

내 세상을 삼켜주라.

곰 인형

그저 따뜻하게 안아주는 이가 없었기에 감정 없는 곰 인형의
털을 가득 감싸 안고 온기를 느꼈다.

곰 인형의 갈색 털이 내 피부를 스치며 따뜻하게 만들었다.
따뜻한 곰 인형의 품 안에서 제발 너만은 등 돌리지 말라고
빌었다. 배신의 차가움을 알기에, 그리고 그 후의 비참함을
알기에. 부디 따뜻한 너 하나만은 내게 등을 보이지 말라고.
짧은 팔로 날 안아달라고 그 밤이 지나기까지 빌고 또
빌었다.

감정도 없는 것이 어찌 감정 있는 자들보다 날 더 따뜻하게
만들어줄까. 난 너의 솜까지 파고들어 온전한 너의 온기에
익사하고 싶다.

넌 나비가 되어 떠나주라

미안해 이게 내 최선이야.

색 바랜 날개로는 날 수 없단 걸 알잖니.

그러니 어서 날 떠나주라. 내 마음마저 바래버리기 전에 날
떠나주라.

함께 날 수 없다면 너라도 떠나야지. 같이 죽어가는 게
아니라 너라도 살아야지.

음, 사실 나도 무서워. 여기서 죽어간다는 사실보다 혼자
남겨진다는 게 더 무서워. 근데 어쩌겠어. 너와 함께
있더라도 난 죽어가고 내가 죽어버리면 넌 혼자 남겨질 텐데.
그러니 서둘러 떠나주라.

내가 더는 널 잡지 않게, 네가 혼자이지 않게.

어서 날 떠나주라.

남은 내 세상의 값을 구하시오

앞으로의 내 세상은 얼마나 남았을까. 어릴 땐 내가 나중에
커서 그 누구보다 특별하고 찬란한 삶을 살 것 같았는데
커갈수록 그리도 넓었던 내 세상은 점점 좁아져 갔다.

무언가를 알게 되고, 앞으로 한 발짝 나아갈 때면 무한한 줄
알았던 내 세상에 의심이 간다. 자신의 아둔함을 보았고
현실에 치였다. 내 앞의 세상은 얼마나 남았을까. 다음
걸음을 내디딜 때 내가 밟을 땅이 있을까. 아마도 그 끝에
닿으면 난 끝없는 어딘가로 계속 떨어지겠지, 떨어지는 그
순간은 많이 지루하겠지, 스치는 바람도, 숨 쉬는 공기도
어둡고 춥겠지.

난 내 세상이 끝나지 않았으면 한다.

부디 내 세상은 끝없는 찬란함과 무한함을 소유하기를.

선인장

따뜻한 손길, 친근한 속삭임, 끝없는 다정함. 이 모든 것을
통틀어 사람이라 칭한다면 난 사람이 그립다.

하지만 사람을 받는 법은 터무니없을 정도로 어리숙하니
다가오는 이들에게 상처를 줄 수밖에.

속에 있는 진짜는 사람을 원하지만 나도 모르게 가시를
세우게 된다. 종종 누군가 내 가시에 찔려죽어도 날 안아주면
좋겠다는 나쁜 생각마저 든다.

이기적이지만 감히 누군가 찔려 죽어도 다가와 주길
원해본다.

맷집

누군가 돌을 던지고 말한다.

"넌 맷집이 좋으니 괜찮을 거야!"

저놈은 무심한 걸까 무식한 걸까.

이런 이에게 뭐라 말해야 하나. 네 뇌는 맞아도 안 아플 거야? 아니야 분명 이렇게 말하면 날 싫어할 테지. 진실과 진심을 전하려면 어떻게 말해야 하나.

"당신이 제게 말하는 맷집은 돌을 맞고 참아내는 몸이 아닌 맞고 괜찮은 척할 수 있는 머리입니다. 몸과 그 안에 있는 마음은 나약하기 그지없어 당신의 돌을 버틸 수 없을 것 같아요. 하지만 당신의 돌에게 괜찮다고 말해줄게요. 하나도 아프지 않았다고 말해줄게요."

고민 끝에 말한 내 진실과 진심은 전해졌을까.

달콤한 거짓말

거짓을 속삭여주라.

속아줄게, 어린아이의 거짓말처럼 서툴러도 내가 속아줄게.

네 진심은 나에게 버겁다. 네 마음 가볍자고 그 진심 넘기지 말아 주라.

달콤한 거짓을 속삭여주라.

나의 우주

넌 네가 내 우주란 걸 알까.

그런 너에게 담기기 위해 하루하루 산소통을 매고 네 안에서
헤엄치던 걸 알까.

어떨 때는 산소가 모자라 머리가 터질지 아니면 그냥 그
안에서 죽는 건지 고민하고, 너무 추워서 온몸이 꽁꽁 얼어
바스러지는 건 아닌지 걱정하다 여러 번 별이 되어버릴 것
같은 순간들이 있었다는 걸 넌 알까.

사실 몰라도 괜찮아. 내 숨통을 조여도 괜찮고, 춥게
만들어도 괜찮아. 그냥 네 안에서 떠다닌다는 것에 난
만족할게.

사랑해 나의 우주.

꼬인 놈

원래 함께하고 싶은 이들보다 함께하고 싶지 않은 이들이 더 많은 것인가. 주변에 온통 미운 사람투성이다.

한번 밉다고 생각하게 된 사람은 뭘 해도 미워 보이고, 평소 괜찮아 보이던 사람도 하나가 마음에 안 들면 미워 보인다. 이 정도면 그 많은 사람들을 미워하는 내가 문제일지도. 그냥 내가 모난 사람일지도.

비료

나에게 채울 수 없는 사랑을 주라.

난 너로 인해 자라나고 죽어간다. 아직 스스로 자라나는
법과, 스스로 사랑하는 법을 알지 못해 받는 것밖에 할 수
없는 나지만, 이런 날 네 사랑으로 키워주면 안 될까.

너에겐 내가 저 잔디밭의 잡초 같을지 몰라도 네 사랑이면
난 나무만큼 자랄 수 있을 것 같다.

채워질 줄 모르는 따분한 잡초이지만 만약 네가 날
채워준다면 세상에서 가장 큰 잡초가 되어 보일게. 그때도
여전히 잡초겠지만 너 하나 쉴 그늘 하나는 만들 수 있지
않겠어.

우리가 안고 있으려면

바다를 사랑했다.

내가 본 바다는 낮에 햇빛을 받아 아름답게 빛났고, 밤엔
달이 물속에 흐릿하게 담겨 있었다.
그런 바다를 사랑했다.

차가운 널 가득 감싸 안으면 넌 힘없이 흩어져 버리고 내
품에는 자국만 남는다.

널 품기에는 내 품은 너무 좁고 나에게 품어지기에 넌 너무
넓다. 우리가 계속 안고 있으려면 어떻게 해야 할까. 널
조각내야 하나, 내가 익사해야 하나.

난 네 안에서 죽어야겠다.

단어

단어란 참 신기하다. 말로 형용할 수 없는 그 모든 것들을
너무 쉽게 정리하니.

물들이 찰랑거리며 지느러미 달린 많은 생물이 헤엄을 치고
표현하기 어려운 향기를 담고 있는 것을 '바다'라는 두
글자로 정리해버린다. 바다를 설명하는 말에도 많은 단어가
담겨 있다. 그 단어들도 분명 엄청난 것들이 담겨 있겠지.
그래서 사람마다 바다라는 단어를 듣고 제각기 다른 장면을
떠올릴 수 있는 것일 것이다.

한 단어에 아주 많은 것이 담겨 있고 그 담긴 것들도 아주
많은 것을 담고 있다. 그 끝은 미지수이기에 무한하다고
말해본다.

너무나 많은 것을 담은 그것들은 생각만으로도 가슴이 터질
듯하다.

낙오자

그치, 사는 게 정말 힘들지.

이젠 내가 앞으로 걸어가는지, 끌려가는지도 잘 모르겠어.
내가 여기 박혀 있던 죽어있던 이 세상은 절대 멈추지
않더라고. 그냥 질질 끌고 가는 거야.

그냥 날 여기 버리고 가주면 안 될까. 잠시만 쉬었다가
가능하면 다시 쫓아가 볼게. 안된다면 좀 더 쉬어보지 뭐.

인어공주의 소원

인어공주는 배 위의 축제 속에서 빛나는 왕자를 보고 어떤 생각을 했을까. 진짜 인어공주의 생각은 잘 모르겠다. 다만 내가 인어공주라면 부디 저 배가 가라앉기를 바랐을 것이다. 배가 통째로 잠겨 왕자가 내게 흘러오길. 내게도 기회가 생기길.

아, 이건 공주보다는 마녀일지도.

방전

자는 순간을 빼면 모든 순간이 피곤하다. 잠들다 눈을 뜬 그
순간은 정신을 놓을 것 같은 피로에 아찔하기도 하다. 잠을
깨자며 얼굴에 찬물을 퍼붓는 그 순간도 이렇게까지 해서
피로를 날리려 해야 한다는 자괴감에 피곤하고, 그 이후로는
그냥 모든 순간이 피곤해서 이대로 내가 옆으로 쓰러진다면
침대가 와서 날 받아주면 좋겠다는 다소 이상한 바람까지
생긴다.

어쩌면 영원히 잠드는 것도 좋겠다.

무너지기 직전의 생각

세상에 기회는 무수히 많다는 걸 알았다. 하지만 기회를 잡을
수 있는 한도는 정해져 있다는 것 또한 알아버렸다. 대충
올라갈 계단은 끝이 없는데 내 체력에는 끝이 있었던 셈이다.

다음 기회가 왔을 때 난 그 기회를 잡을 수 있을까. 고개를
들어보면 정신이 아찔할 정도로 높은 계단들이 빼곡하다.
내가 다음 계단을 밟을 때까지 살아 있을지 모르겠다.

난 그냥 여기서 부서져야 하는가.

나 때문에 아픈 너, 나 때문에 아픈 나

나 때문에 아픈 너와, 나 때문에 아픈 나, 이런 너와 나 둘 중에서 누가 더 아플까.

넌 계속 나한테 소리친다. 왜 계속 날 아프고 힘들게 하냐고.

그러게나 말이다. 왜 나 때문에 네가 아플까.

널 아프게 하려는 의도는 없었는데, 널 힘들게 할 의도는 없었는데, 난 네가 나 때문에 아프지도, 힘들지도 않았으면 하고 바라는데. 왜 내 바람과 달리 넌 계속 아프고 힘들다 할까.

내가 무너지면 너도 무너질까. 그건 아니잖냐.

그래, 넌 날 이해할 수 없겠지. 그래, 나도 널 이해할 수 없겠지.

이대로 서로 아프다 죽으면 넌 타살이고 난 자살인가.

둘 중 누가 먼저 죽을까. 먼저 죽는 사람이 더 아픈 놈이겠거니 싶다.

의문투성이

이 세상 무엇 하나 장담할 수 있을까.

당장 1초 뒤도 정해진 것이 없고, 세상에 영원이란 없는데.
이런 수많은 변수 속에서 어찌 장담이란 걸 할 수 있을까.

그 믿음이 뭐길래 그리 굳건한 것일까. 그 믿음이 세상의
이치보다 더 단단한 것인가. 그게 세기의 사랑이고, 세기의
결단인 것인가. 난 그런 걸 믿을 수가 없다.

온 세상이 의문투성이고, 그 의문 중 하나라도 장담할 수
있는 답이 없다.

그냥 내가 답이 없는 놈일지도.

힘내

아주 오래전 누군가에게 요즘 계속 힘이 없다고 말했던 적이
있다. 어렸지만 그때의 대답이 너무나 어처구니가 없어서
오랜 시간이 지나도 여전히 생생하게 떠오른다.

"힘이 없으면 힘을 내."

내 마음대로 막 힘을 낼 수 있었다면 내가 그런 말을
했었을까? 물론 맞는 말이지만 왜인지 아닌 것 같고
서러워서 화가 났었다.

성의 없이 던져진 말이고, 큰 의미 없는 말이었겠지만 그
말을 들은 누군가는 몇 년이 지나도 생생하게 기억한다. 그
당시의 고충과 고통은 기억나지 않아도 그런 의미 없는 말
하나가 기억이 난다.

갈증

네 전부가 되고 싶다.

넌 나에게 전부인데 왜 난 너에게 일부인 걸까. 네 전부가
되어 모든 네 사랑을 독차지하고 싶다.

사랑이 질투심에서 파생될 수 있는 감정이었던가. 그래 뭐
사랑의 형태는 다양하니 이것도 사랑이 아니겠는가.

난 네가 나만 보면 좋겠고 나만 사랑해주면 좋겠다. 하지만
네 눈에 보이는 건 나 하나가 아니기에 불가능하고 갈증은
커져만 간다.

사랑에 목마르다는 게 이런 것일까.

만족을 모르는 이 목구멍은 오늘도 사랑을 탐낸다.

그네

어두운 밤 아무도 없는 놀이터의 그네는 차갑게 굳어있다.

그런 그네를 타며 하늘을 바라보면 빨려 들어갈 듯하다. 뒤로
갔을 때는 땅만 보이지만 앞으로 갔을 때는 차가운 바람이
얼굴을 스치며 구름 몇 개만 떠 있는 밤하늘과 잠시 더
가까워진다.

이대로 저 밤하늘에 빨려 들어가면 난 구름이 될까, 먼지가
될까.
난 저 밤하늘에 빨려 들어가 구름이 되고 싶다.

시계야 미안하다

가장 원망했던 것이 무엇인가 묻는다면 난 사람도 사건도
아닌 시계라 말하겠다.

아무 죄 없는 시계를 계속 원망했다. 넌 할 일을 했을 뿐일
텐데 괜히 널 원망했구나. 때로는 네가 너무 빨라 보여서
때로는 네가 너무 느려 보여서 많이 원망했다.

제발 빨리 지나가라 하고 빌었던 순간에는 왠지 네가 날
놀리려 멈추는 것 같아서,
제발 지나가지 말아라 하고 빌었던 순간에는 왠지 네가 날
놀리려 달리는 것 같아서.

이렇게 많은 순간을 원망했던 내가 염치없게 시계에게 내
편이 되어달라고 말해본다.

난 네가 고장 나기를 바라는 걸 수도.

반창고

나에게도 반창고를 좀 붙여주면 안 될까. 그냥 집 앞
편의점에서 파는 값싼 반창고라도 괜찮아. 내가 아픈 곳이
어딘지 물어주고 그곳에 반창고 하나만 붙여주라.

상처가 벌어질까 봐, 그리고 벌어지면 또 아플까 봐. 그게
너무 걱정되어서 그래.

건망증

건망증이 기억만 쉽게 잃어버리는 것이 아니었다. 감정마저 금방 잊어버리게 되더라. 그게 좋았던 감정이든, 나쁜 감정이든.

몇 시간 전까지 기분이 나빴어도 금방 그 일을 잊고 잘만 웃는다. 때로는 좋은 감정이든 나쁜 감정이든 그때의 느낌을 만끽하고 싶은데 금방 잊어버려 아쉽기도 하다.

감사해야 할지, 원망해야 할지.

귀차니즘

움직이는 게 귀찮다.
생각하는 게 귀찮다
눈뜨는 게 귀찮다.
입 여는 게 귀찮다.
.
.
.

이러다 숨 쉬는 거마저 귀찮아지면 어떡하지.

철들었네

철이 든다는 게 뭘까.

왜 더는 쓸 기력이 떨어져서 표정이 굳고 입을 다물게 되니 철들었다 말할까. "철들었네."라는 말에 "철은 무거워서 못 들어요."라고 말하면 어리게 봐줄까.

철들었다는 뜻이 언제부터 '지쳤다.'와 같은 뜻이 되었을까.

난 그냥 힘든 거예요. 철든 게 아니에요.

사실 꿈이라면

사실 이 모든 게 꿈이길 하는 바람이 있다.

하루를 끝내는 것은 쉽지 않다. 24시간을 버틴다는 것이
생각보다 어렵더라. 그래서 나의 하루하루가 꿈처럼 알람
하나로 깨질 수 있는 것이라는 가벼운 상상을 해봤다.

내가 지금 이 현실을 꿈이라 말한다면 내가 꾼 꿈은
자각몽일까.

젠가야 무너져다오

사실 누군가를 까는데 그 이유는 중요치 않다. 그냥 누군가가 싫으니까, 까고 싶으니까, 내가 까고 까서 누군가가 내려가면 좋겠고 내려가다 무너지면 좋겠으니깐.

누군가가 선한지 악한지는 상관없다.

모두 그 깎아지는 누군가가 불행해지길 바라며 혀를 놀린다. 하지만 정말로 누군가가 무너져버렸을 때 제일 먼저 느끼는 건 희열도 미안함도 아닌 두려움이었다.

내가 까던 것이 무너졌다는 희열도 아니고, 결국 한계에 도달시킨 것에 대한 미안함도 아니고, 정말 내가 느낀 건 무너진 너에게서 돌아올 시선에 대한 두려움이었다.

마음 구석에 있던 작은 미안함도 추궁해 보니 사실 두려워서 미안한 척 한 것이라 말한다.

난 무너진 네가 저 밑에서 원망의 시선으로 바라볼까 봐. 그 원망이 커져서 내 발아래 있는 것들도 흔들고 싶어질까 봐. 난 그것들이 두려웠다.

"미안, 그렇게 될 줄 몰랐어."

문제집

수많은 문제가 모여 하나의 사람을 만들어낸다.

나의 정답은 무엇일까.

자신 있게 말한 답은 정답이 아니었고 빨간 줄 하나가
생겼다. 내 답지는 누구인가. 누가 날 풀어줄 것인가.

다시 풀어볼 생각 따위는 없다. 내가 말한 답은 내가 원한
답이었고 그것이 오답이라면 나에겐 더는 풀 가치가 없다.

조금 더 쉬운 문제집으로 다시 사야 할지도.

네버랜드

네버랜드의 밤하늘을 날고 싶다. 별 하나 없는 그런 밤하늘.
숨 막힐듯한 고요함 속에서 날아보고 싶다.

공허한 밤하늘의 바람은 얼마나 차가울까. 그 어둠 속에 둥둥
떠서 내 몸을 스치는 바람을 느끼고 싶다. 부디 그 바람이
너무 날카롭지는 않기를. 그저 부드럽게 스쳐 지나가는
바람이기를. 네버랜드는 그런 곳이기를 바란다.

네버랜드는 별 없는 밤하늘이 더 잘 어울려.

저 쓸쓸한 네버랜드의 밤하늘을 혼자 만끽하고 싶다.

꽃이 지지 않는 나무

꽃이 지지 않는 나무가 되어보고 싶다. 사계절의 시간 동안
계속 화려했으면 한다.

봄에 꽃이 피어 무더운 여름을 보내고, 쌀쌀한 가을바람을
느끼다 겨울의 눈꽃을 맞이하고 싶다. 한번 핀 꽃이 사계절
내내 아름답게 피어있었으면.

뜨거운 열기가 불태운다 할지라도, 쌀쌀한 바람이 세게 친다
할지라도 절대 떨어지지 않는 견고한 꽃을 피우고 싶다.

노이즈 캔슬링

종종 귀를 막아야 할 것 같을 때가 있다. 더 들을 가치가 없거나, 들으면 상처 입을 것 같은 이야기들.

그렇다고 손으로 귀를 틀어막으면 상대는 더욱 흥분한다. 어찌해야 할까.

그래, 들어주는 척하는 거다. 열심히 듣고 있지만, 그것에 대한 생각을 전혀 하지 않는다면 들어도 못 들은 게 되지 않을까? 한 귀로 듣고 한 귀로 흘려 버리는 것이다. 뇌까지 전달하지 말고 구멍에서 구멍으로 내보내는 거지.

.

.

.

"내 말 듣고 있어?"

"응. 듣고 있어."

파도야 바다에게로

파도야 날 바다에게로 보내줄 수 있겠니.

난 따가운 모래사장 말고 차가운 바다에서 죽고 싶구나,

너에게 휩쓸려 거품을 가득 품고 바다를 찾아가면 날
반겨줄까.

내 회복 속도는 너무나 느렸기에

내 회복 속도는 너무나 느렸기에 누구나 흔히 입고 낮게
되는 상처가 많이도 아프게 다가왔다. 상처가 생기는 일은
흔해도 낫는 일은 흔하지 못했으니.

나아도 자국이 남아 흉해 보이는 것들이 많았다. 조금만 덜
상처받거나 더 빨리, 잘 나을 수 있었다면 좋았을 텐데.
흔적이라도 남지 않았으면 괜찮은 척이라도 할 수 있었을
텐데.

자기애

누군가 말했다.

"넌 정말 자기애가 넘치는구나, 다른 사람이 너한테 뭐라고 해도 아무렇지 않겠네?"

그게 그렇게 되는 거였나.

내 자기애는 어떻게 생겼더라. 분명 아무도 날 사랑해 주지 않는 것 같아서 나라도 이런 날 사랑하자 했었는데, 그게 그런 의미가 되는 줄은 몰랐다. 그냥 나마저 날 사랑하지 않으면 너무 비참할 것 같았다. 정말 모든 것에서 버림받는 것이 두려워서 그랬다.

"응, 난 내가 사랑해주니 남들이 뭐라 해도 아무렇지도 않아."

그거 말고

힘없는 사람에게 힘내라 하고 안 괜찮은 사람한테 괜찮냐
묻는 게 도대체 무슨 의미인가.

힘 못 내는 거 알잖아, 안 괜찮은 거 알잖아.

너의 위로는 날 위해서인가 널 위해서인가. 받는 주제에
염치없는 건 알지만 다른 말을 해주라. 정말 날 위해
말해주라.

내 편인 줄 알았다

"세상에 진짜 네 편은 나뿐이야."

나와 당신이 싸운다 해도 당신은 당신 편을 들지 않고
끝까지 내 편이 되어줄 수 있을까. 무슨 근거로 그런 말을
하는 건지. 당신의 모든 걸 잃을 수 있다 해도, 내가 하는 게
틀릴지라도 끝까지 네 편일 수 있는가.

그럴 수 없다면 그런 말 하지 말아라.
내 편인 척 속이지 말아라.
괜히 날 기대하게 하지 말아라.

난 정말 그 말을 믿었으니.

미지근한 물에서도 온기는 느낄 수 있다

별 감흥 없는 몸뚱어리도 종종 따뜻해질 때가 있다.

익숙하지 않은 호의에 감사할 줄은 몰라도 따뜻해지기는 하더라. 진심이 아닌 것에도 따뜻해지더라. 나도 따뜻함에 대하여 생각할 줄은 몰라도 느낄 수는 있는 사람이었다.

차가운 물에 손을 담갔다가 미지근한 물에 담그면 미지근한 물에서도 따뜻함을 느낄 수 있다.

따뜻한 물이 아니었더라도 내가 그렇게 느꼈으니 난 그런 미지근한 물에게 감사하다.

걸을 힘이 없어요

길가에 주저앉자 힘겹게 든 고개의 시선 끝에는 아무것도
보이지 않았다.

너무 멀어서일까 아니면 아무것도 없어서일까.

무엇이든 상관없다. 그곳에 도달하지 못할 것 같으니.

노력이 참 가상하구나

재능이 없으면 노력하라는 말을 들어본 적이 있다. 그 말을
듣고 바로 생각 난건 노력도 재능인데 라는 반발심이었다.

누구나 할 수 있는 게 노력이라지만 노력도 잘하고 못하고
가 있다. 모든 일은 누구나 할 수 있다. 잘 하지 못할 뿐.

함부로 그런 말을 하지 마라. 너는 내가 아니잖냐. 그
노력이란 말이 어떻게 다가올지 모르잖냐.

이불 밖은 너무 추워

난 이불이 좋다. 부드럽고 따뜻하니까.

흐물거리는 이불로 몸을 돌돌 감싸면 종종 꿨던 꿈속에서
느낀 따스함을 다시 느낄 수 있었다. 머리까지 덮으면
답답하긴 하지만 그건 그거 나름대로 좋다.

이불 밖은 너무 추우니까. 주변의 공기뿐만 아닌 모든 것들이
추우니까. 이불이 체온을 높여 주는 것도 맞지만 무언가 다른
의미로 따뜻하기도 하다. 혼자만의 세상이 생긴 느낌이
들어서 더욱 따뜻하다.

이불 밖에서도 이런 느낌이 든다면 그때는 이불 말고 다른
것도 좋아질 것 같다,

참외 같은 인간

난 참외 같은 인간이다. 겉은 단단한데 속은 물러 터졌기에.

그런 속을 감추고 단단한 인간인 척해보고 있다. 내가
무언가에 갈라지지만 않는다면 아무도 모를 것이다.

종종 나도 내가 속까지 단단한 인간이라 착각한다. 내 모습을
바라볼 때면 늘 단단하다는 생각이 드니깐, 겉에서는 속을 볼
수 없는 법인데.

나도 내 흐물흐물한 속이 얼마나 넓은지 잘 모르겠다.
생각보다 겉이 얇아서 툭 치면 부서질지도.

사실 나도

"너 그렇게 하면 나중에 그렇게 된다?"

"응, 나도 알고 있어. 몰라서 그러는 게 아니라 못해서
그러는 거야."

사실 나도 이러고 싶지 않다. 절대로 이런 걸 원하지 않는다.
하지만 그게 뜻대로 될 리는 없잖냐. 바라보는 네가 그런데
당사자인 나는 어떻겠니.

무력함에 미쳐버릴 것 같을 때가 있다. 이 작은 무력함이
모든 걸 무너뜨릴 수 있다는 것도 안다. 그래서 답답하고
모든 게 부정적이게 보인다.

못하는 건 찾기 쉽지만 잘하는 거 하나 찾는 게 그렇게
어렵더라. 못하는 거 하나를 찾으면 또 한 번 우울해지고,
잘하는 거 하나 찾으면 진짜 잘하는지 의심이 간다.

내가 바라는 건 아득히 멀어 보여서 한숨만 나오고, 모두가
나와 비슷하다면 안심이라도 될 텐데 나만 이런 것 같아 늘
불안하다.

"사실 나도 엄청 힘들어."

"안 힘든 사람이 어디 있겠어, 다 참고 사는 거지."

옳은 말이지만 오늘따라 그런 네 말이 원망스러웠다

밝기

가끔 눈을 감았을 때 보이는 어둠이 세상의 밝기였으면
한다는 생각을 한다, 눈을 감았다가 떠도 달라지는 게 없는
세상이었으면 한다. 누군가의 모습이 보이지 않고 그 누구도
날 알아볼 수 없는 그런 세상이었으면 한다. 그럼 더 이상
구석이 아닌 중앙에 설 수 있을 것 같아서.

아, 그런 세상에서도 사람들은 분명 빛을 찾을 테지. 서로를
확인하고 그 추악함을 볼 때까지 빛을 찾으려 할 것이다.
결국 그 빛들이 어두운 세상을 가득 채워 다시 주변은
밝아지겠지.

난 영원히 아무것도 보이지 않는 곳에서 살고 싶다.

2장 정신승리

진부한 결말

뭐라도 하면 뭐라도 되었을까. 난 그럼 지금 아무것도 되지
못한 것인가.

공부를 하고 학자가 되거나, 음악을 하고 악사가 되거나,
운동을 하고 선수가 되거나, 하는 이런 인과에 의한 결말이
너무 진부해 보였다.

뭘 하든 이대로 한다면 미래와, 결과는 당연스럽게
정해지겠구나. 그것이 이곳의 이치구나.

정해진 결말의 삶이 너무나 진부해 보였을 뿐인데. 단지 그런
진부한 인간이 되고 싶지 않은 것뿐이었는데.

아무것도 안 해서 아무것도 아닌 존재라니, 결국 나도 진부한
결말이었다.

시작은 끝을 만들고 끝은 시작을 만든다

무언가가 시작되면 본디 끝이 있기 마련. 무언가가 끝이 나면 본디 새로운 시작이 생기기 마련.

계속 이것만 반복되는 것 같다. 내가 모르는 사이 난 시작과 끝 사이에서 굴러가고 있었고, 멈추기에는 너무 빨리 굴러갔다. 이게 앞으로 끝이 없을 걸 생각하니 막연하고 지친다. 굴러가서 지치기보다는 억지로 멈추려 해서 지치는 듯하다. 그렇다고 무저항으로 버티자니 금방 으스러져 버릴 것 같아 두렵다.

오늘도 시작과 끝의 중간지점을 찾아본다.

너에게 부족한 나와 나에게 넘치는 너

넌 내게 넘치는 존재다. 마치 바다와 같이.

보기에만 아름다운 줄 알았던 넌 생각보다 커다란
존재였더라.
듣기에만 감미로운 줄 알았던 넌 생각보다 강한 존재였더라.

그래서 내가 여유가 없다. 네가 힘껏 내게 다가오면 난
힘없이 네게 휩쓸리고 말아.

네가 조금만 더 못생기고, 네가 조금만 더 작고, 네가 조금만
더 어지럽고, 네가 조금만 더 약한 존재였다면 내가 네
앞에서 이렇게 허무한 존재는 아니었을 텐데.

미안하다. 변화할 수 없어 이곳에 머무르는 난 넘치는 네
곁에 있을 수 없다.

보이지 않는 별

검은 밤하늘에 뿌연 구름이 빼곡히 차 있었다.

분명 저 구름 위에는 수억 개의 별이 황홀히 빛나고 있을
터인데 구름에 가려져 그 자태를 보이지 못하는 것이 불쌍해
보였다.

"어리석은 별들아 안 보이는 곳에서 빛나면 그게 무슨
소용이겠니. 부디 이 아래로 처박혀 내 밑에서 빛나주렴."

이상적인 정의

날 정리하는 게 내가 아니라는 것을 알게 되었다.

나조차 아직 정리하지 못한 걸 이미 주변에서는 몇 초 만에 정리해버리고 만다. 아마 나도 내가 모르는 사이에 누군가를 그리 정의했겠지.

하지만 날 정의하는 단어는 만나는 사람마다 다르다. 모두를 똑같이 대한다 생각했건만, 모두가 다르게 느끼고 있었다.

가장 이상적인 단어는 무엇인가. 난 그것이 되고자 한다,

개성 없는 세상 같으니

왜 난 모두가 다 비슷하게 느껴질까. 궁극적인 목표는
다르지만 다 비슷한 길을 걷는 것 같다.

주변을 돌아보면 모두가 같은 행동을 하고 있고 그걸 보다
보면 어느새 나도 똑같은 걸 하고 있다. 무엇에 도달하고자
이런 행위를 하는 것인가. 혹 그것이 장대한 꿈이나 그런
것이 아니고 평균에 맞추고자 하는 기본적인 소양일지도
모르겠다.

내용은 다를지라도 결과적으로는 비슷한 결말들인 것 같다.
날 포함한 전부가 그냥 비슷해 보인다.

개성 없는 세상 같으니.

희망 고문

"지금은 못 찾겠지만 이 세상 어딘가에는 이런 널 좋아해
주는 사람이 있을 거야."

이건 희망이고,

"지금은 못 찾겠지만."

이건 고문이다.

"괜찮아, 다시 하면 돼."

이건 희망이고,

"다시 해야 해."

이건 고문이다.

희망 속엔 비극이 담겨 있다. 희망은 이루어지지 않은
기대이기에 그것이 이후 이루어지지 않는다면 그것은
비극이다.

인공위성

내가 별이라 생각한 저놈은 인공위성이란다. 난 별 사이에
껴있길래 당연히 별인 줄 알았건만. 별처럼 빛나는 넌 사실
인공위성이란다.

나와 내 옆에 있는 이들에게 너는 별로 보이지만 너와 네
옆에 있는 이들에게 너는 인공위성이겠지.

네가 인공위성이란 걸 알게 된 난 더는 네가 아름답게
보이지 않는다. 어차피 보이는 건 똑같은데 다들 네가
인공위성이란 걸 알게 되자 외면하게 되었다.

어쩔 수 없잖니, 반짝반짝 작은 별은 자장가의 가사가 될 수
있어도, 반짝반짝 작은 인공위성은 자장가의 가사가 될 수
없는걸.

인공위성아 별인 척 살아가렴. 난 네가 인공위성인 걸
알았지만 그 사실을 모르는 또 다른 누군가는 널 별로 여길
테니,

감정은 깊어질수록 진한 향을 품는다

감정은 깊어질수록 진한 향을 품는다.
감정은 아플수록 진한 향을 남긴다.

지금 생각해 보면 가장 기억에 남는 감정은 가장 극한의
감정이었다. 옅은 감정은 잠깐 스쳐 지나갈 뿐 무언가를
남기지는 못했다. 가장 깊고 가장 아프게 느낀 감정이 가장
기억에 남는 감정이었다. 잠깐 웃었던 일은 기억으로 남을 뿐
새겨지지는 못했었다.

조금 더 많은 감정을 느껴볼까, 조금 더 진한 감정을
느껴볼까.

무엇이 더 가치가 있을지 모르겠다.

유랑

오늘도 이 세상의 시간 아래에서 다른 누군가의 이야기가
끝이 나고, 또 다른 누군가의 이야기가 시작된다. 우리
모두는 이 시작과 끝에 무력하고 그 무력함에 절망한다.
스스로 끝낼 수 없기에 끝은 한없이 멀어 보이고, 시작 또한
조절할 수 없기에 두렵다.

하지만 끝없어 보이는 바다를 유랑하는 배도 언젠가는
어딘가에 도착하기 마련이고, 시간이 흐르기에 모든 것이
끝나기 마련이다. 언제 시작할지 두려워했던 모든 것들이
시작하고 나면 언젠가는 끝에 도달한다는 증거이기도 했다.
그곳이 목적지 일지 저 아래 모래 더미일지는 알 수 없는
일이지만.

누구에게나, 또는 무엇이든 끝이 있기 마련이다. 그게
언제인지 어떻게 될지는 우리가 알 수 없는 미지의
영역이지만 그래도 끝이 있음을 알고 있으니 그 기대감에
사는 것이 아니겠는가.

말미암아 비행

날고 있다.

등에는 견갑골로부터 이어진 새하얀 날개가 양쪽으로 펼쳐져 있고, 눈앞에는 이제 막 뜨는 태양과 드문드문 구름들이 보인다.

살갗을 스치는 바람들은 소름 끼치게 부드럽고 차가웠다. 태양이 뜨는 걸 보니 내 비행도 어느새 막바지다. 견갑골의 날개는 퍼덕이기보다는 바람에 흩날리고 있었고, 속도는 제어가 되지 않았다.

떨어지는 구름 사이로 붉은 태양이 빛을 비췄다. 실로 아름다운 광경이었다.

내 비행의 끝이 저 높은 하늘이 아닌 축축한 저 아래의 땅이란 것쯤은 진작 알았다. 날기 전 모든 사람들이 그건 추락이라 말했지만 이렇게 서늘하고 아름다운 것을 어찌 추락이라 볼 수 있으리.

내 마지막은 추락이 아니라 비행이다.

자유와 안락

머무르는 자에게는 따듯한 안락함을.
나아가는 자에게는 거센 자유를.

두꺼운 벽 안에서 안락함을 느낄 것인가.
험난한 세상에서 자유를 느낄 것인가.

우물

사람의 감정은 우물과도 같다.

위에서 보면 그 깊이를 알 수 없고 그 온도를 알 수 없다. 그 모든 것은 그곳에 뛰어든 자들만이 알 수 있겠지.

하지만 방심하고 뛰어들었다가 빠져 죽고 말 것이다. 그건 그 우물의 깊이를 알게 된 대가라고 생각한다.

그러니 곁에서 보고 함부로 그 깊이를 헤아리지 말길. 함부로 뛰어들어 보지 말길.

네가 얕다고 생각한 우물의 깊이는 어쩌면 한이 없을 수도 있을 수 있을 테니.

바다와 바다

낮에 본 바다는 찬란했지만 밤에 본 바다는 그냥 암흑
덩어리였다. 그리 찬란했던 바다도 밤에 보면 암흑
덩어리인데 사람은 오죽하겠는가.

어떤 면에서 본 넌 찬란했다.
어떤 면에서 본 넌 어두웠다.

하지만 찬란한 바다도 어두운 바다도 바다는 바다이고 그
아래 많은 것들이 살아 숨 쉰다는 것은 변함이 없다.

찬란한 너도 어두운 너도 너는 너이고 그 안에 많은 것들이
있다는 것은 변함이 없다.

그러니 너도 너를 너무 감추려 하지 말길.

실 같은 사랑을 하자고

실 같은 사랑을 하라고.

엉키고 묶여서 다시는 풀 수 없는 그런 사랑을 하라고.

실의 색은 중요하지 않다고.

엉키고 묶이면 그냥 하나인 거라고.

우린 그런 사랑을 하자고.

쓰레기통이 아늑하면 안 되는데

쓰레기는 쓰레기통이 가장 아늑하다고, 그 안이 아무리 춥고
어두울지라도 그곳에 어울리는 쓰레기는 그곳이 가장
아늑하다 한다.

저 바깥세상은 쓰레기가 보기엔 너무 밝아 눈이 멀어버릴 것
같다고, 그곳이 아무리 밝고, 따뜻할지라도 그곳에 어울리지
않는 쓰레기는 그곳이 더 춥고 어둡다 한다.

쓰레기가 어울리는 곳이 과연 쓰레기통일까. 만약 쓰레기도
바깥세상에 어울리는 자였다면 그곳이 따뜻하고 밝게
느껴졌을까.

낮에 뜨는 달, 밤에 뜨는 달

낮에 뜨는 달이 더 예쁠까, 밤에 뜨는 달이 더 예쁠까.

사실 낮에 뜨곤, 밤에 뜨곤 둘 다 똑같은 달이다. 어떻게 배경 하나로 달라질 수 있을까.

물은 자유로워지고 싶데

물이든 물병을 위에서 보고 있으면 건너편인 저 밑에 있는 것들이 갑갑한 물속에 갇힌 것처럼 보인다.

물병 안 물이 흔들려서인지 건너편의 저것들은 제발 꺼내 달라며 아우성이다.

사실 정말 갇혀 버린 건 물병 안 물일 텐데.

2교시는 사회생활

사회생활이 무엇일까. 사전적 의미로는 사람이 사회의
일원으로서 집단적으로 모여서 질서를 유지하며 살아가는
공동생활이라 한다.

그럼 우리가 하는 사회생활은 무엇인가. 난 그게 사회가
말하는 질서에 맞춰진 대답과 행동을 하는 것이 아닐까 한다.
자신의 본심과 진심을 꼭꼭 감춰두고 문제지 답안처럼 정해진
것만 하는 것이다. 물론 틀린다면 그것에 대한 페널티도
있다.

숨겨뒀던 진심을 잃고, 묻어뒀던 본심을 잃으면 그때는
사회의 이상적인 인간이라 불릴 자격이 있을까. 사회가
원하는 건 참된 진실일까 기분 좋은 거짓일까.

거짓을 바라는 것이 진실하라 가르치니 어떻게 살아야 하는지
가끔 헷갈려온다.

모난 돌에 정든다

매끈하고 아름다운 돌보다 뾰족하게 모난 돌이 더 좋다.

모난 돌아 괜찮아, 난 뾰족한 네 모습이 더 좋아. 다들
너에게 뭐라 하는 이유는 그냥 매끈한 돌이 많아서 그래. 네
잘못이 아니야. 네가 모나서, 아름답지 못해서가 아니야.

난 모난 네가 좋다.
난 모난 내가 좋다.

단지 우리가 매끈한 돌을 더 좋아하는 세상에 태어나서 그래.
이런 우리가 많아지면 자연스레 사랑받을 수 있겠지.

그때까지는 우리끼리 사랑하자고.

어떻게든 되겠지

무척이나 긴장하고 불안했는데 막상 닥치니 별거 아니었던 것들이 있다. 내가 했던 걱정과 불안이 가득했던 것은 사실 아무것도 아니었다는 허무함이 든다.

너무 걱정하지 말자. 걱정해도 올 것은 오고 마니까.
너무 불안하지 말자. 불안해도 지나갈 것은 지나가고 마니까.

시간이 멈추지 않는 이상 올 것은 온다. 시간이 멈추지 않는 이상 지나갈 것은 지나간다.

이렇게 말해도 사실 걱정과 불안 없이 사는 건 어렵다. 그냥 조금 가볍게 살자.

인연의 실

손가락에는 붉은 실이 여러 갈래로 이어져 있다. 실의 방향은
다 달라서 여러 방향에서 날 찢어 죽일 듯 당겨대고
고통스러워 줄 한 가닥을 이빨로 끊어 버리면 휘청거리다
다른 실이 당기는 방향으로 끌려간다.

또 한 가닥,
또 한 가닥,
또 한 가닥,

계속 끊어냈다. 물고 끊어내던 이빨은 어느새 전부 부서져
버렸고 몸에는 붉은 실의 자국이 영원히 새겨져 버렸다.

내 실을 당긴 자들도 나와 같은 상황이었을까. 그들도 휘청인
걸까.

이기적인 말

아프지만 말고 자라달라니 이 얼마나 이기적인 말인가.

어떻게 살면서 안 아플 수가 있나. 그대가 바라는 건 아파도
아픈 줄 모르는 것이다. 그렇지 않겠는가?

피부에 멍이 들어도 그게 아픈 건 줄 모르고 마음이
썩어가도 그게 썩는 줄 모르고 자라란 말이다. 죽어가는지
살아가는지도 모르고 살아가란 것인가.
.
.
.

썩어가는 피부에선 달콤한 향이 났습니다. 아무래도 몸속에서
꽃이 피고 있나 봅니다.

늦잠

늦잠을 잤다.

일어나 보니 오후였고 분명 해가 뜰 때쯤 잠이 들었는데,
아침밥을 먹으며 본 창문 밖은 노을이 지고 있었다.

사람보다 이불이 좋았다.

난 남들보다 짧은 낮과 긴 밤을 보낸다.

세상과 사람

큰 것에게 작은 것은 보이지 않는다. 작은 것에게도 큰 것은
보이지 않는다.

세상은 한 사람이 보이지 않는다. 한 사람에게도 세상은
보이지 않는다.

우리가 보는 세상은 세상의 지극히 일부이고 세상이 보는
나도 나의 지극한 일부이다.

서로의 모든 것을 보려면 세상이 작아져야 할까, 사람이
커져야 할까. 아니면 그 둘의 타협점이 있을지도.

변명

내가 너였다면 지금과 달랐을까.

내가 나이기에 이런 감정을 느낀다. 그럼 내가 너라면 이런 감정을 느끼지 않았을까.

음, 왠지 내가 너였어도 이 감정은 느꼈을 것 같다. 느끼게 되는 상황은 달라져도 그 안의 알맹이는 달라진 게 없으니깐.

내가 나이기에 이런 감정을 느낀다는 건 변명이었나 보다.

추잡스럽다

내가 또는 네가 가장 고결하다 생각한 그 인간도 추잡한
면이 있다. 그러니 너무 깨끗해지려 하지 말길. 너도, 나도
추잡스러운 면이 있고, 저들도 있을지니.

일단 너와 내게 추잡스럽다고 지껄이는 자들은 입부터
추잡스럽다.

ZERO

0이 끝인 줄 알았다.

무너지고 사라지다 보면 언젠가는 0에 도달해 이 짓도 끝이 나겠거니 했다.

무너질게, 사라질 게 없어지면 그게 끝인 줄 알았다. 땅에 도달했다면 그 밑으로 파고 들어가면 될 일이란 걸 모르고 있었다.

과연 파고들고 또 파고들어 더는 팔 수도 없을 때쯤은 자유로워질까.

아, 그때쯤이면 늙어 죽겠군. 허탈한 웃음이 났다.

가장 행복한 꿈

가장 행복한 꿈을 꾸었다.

꿈에서 난 모든 것들을 이뤄낼 능력들이 생겨났으며 정말로 바라는 것들을 그 능력으로 하나하나 이뤄냈다. 그게 너무나 행복하더라. 하지만 그날도 어김없이 시계는 아침이라며 소리 질렀다.

분명 행복한 꿈을 꾸었는데 일어나니 전보다 훨씬 불행하게 느껴졌다.

내가 이루고 싶은 것들과 어찌해야 그걸 이룰 수 있는지를 알아버렸다. 그래서일까, 꿈과 함께 그것들은 깨져버렸다.

유통기한

이미 때가 늦어버린 것을 전과 같다 할 수 있을까.

물을 부어보고, 뜨겁게 달궈보고, 다시 안아준다 해도 완벽히
전으로 돌릴 수는 없다는 걸 알았다. 모든 것에는 정해진
시간이 있고 그걸 놓치면 아무것도 할 수 없다. 그렇다고 그
상태로 품어버림 탈이 날 테지.

그렇게 썩어버린 우유를 폐기했다. 일찍 빵과 먹을 걸
그랬나.

상승 그래프

앞으로 살면서 삶이 지금 이 순간보다 더 쉬워지는 일은
없다.

삶이 올라갔다 내려갔다 하는 그래프일지 몰라도 삶의
난이도는 위로 끝없이 올라가는 그래프이기에 과거로
돌아가지 않는 이상 지금 이 순간보다 쉬워질 수는 없다.

어려운 하루를 버티면 더 어려운 내일을 살아야 하고, 더
어려운 내일을 버티면 그보다 더 어려운 모래를 살아야 한다.

한 걸음이 무겁고, 두 걸음은 더욱 무겁다.

만 보를 걸어야 끝이 날까, 천 보를 걸어야 끝이 날까.

세상이 조금만 더 쉬웠더라면 지금보다 더 편한 하루를 살
수 있었을까.

착한 악마, 나쁜 천사

자신의 이익만 생각하는 이기적인 존재, 악한 존재, 악마.

남의 이익을 먼저 생각하는 존재, 선한 존재, 천사.

천사와 악마의 존재에 관심이 생긴 어느 날 문득 의문이
들었다. 악마는 주로 자신의 이익을 위해 움직인다. 근데
그게 왜 악일까. 자신을 위하는 악마의 행동은 이기적이다.
하지만 이기적인 것을 악이라 판단할 수 있을까.

내가 너에게 베푼다.
내가 너를 동정한다.

이건 선이다

내가 나에게 베푼다,
내가 나를 동정한다.

이건 악이다.

자신에게 맞추어 사는 것이 악이란 의미로 들린다. 정말
자신의 배를 불린다고 바쁜 저 존재에게서 선이라곤 찾아볼
수 없었을까.

그들을 절대 악이라 부를 수 있는가.
저들을 절대 선이라 부를 수 있는가.

그들은 모순적인 존재들이다.

내일은 내일부터

내일부터 달라져야지, 오늘까지만 이렇게 살아야지.

변화의 다짐을 했다.

딱 오늘까지 즐기는 거야, 내일은 이 모든 걸 바꾸고 새로운 삶을 살아야지. 거창한 내용을 가진 초라한 다짐이었다.

내일이 되자 또다시 다짐한다.

내일부터 달라져야지, 오늘까지만 이렇게 살아야지.

작은 물고기와 얇은 나뭇가지

사람은 작은 물고기를 잡았을 때보다 큰 물고기를 잡았을 때의 포만감이 더 크다.

사람은 얇은 나뭇가지를 꺾었을 때보다 굵은 나무 한 그루를 베는 게 더 뿌듯하다.

잡히지 않으려, 베이지 않으려 크고 굵어지려 했으나 사람은 작은 물고기는 풀어주고 나뭇가지 대신 뿌리를 베버리더라.

난 작은 물고기여야 했나, 큰 물고기여야 했나.

난 나뭇가지여야 했나, 나무여야 했나.

완벽한 세상

완벽한 세상은 없고, 완벽한 사람 또한 없다.

그래서 부족한 세상이 있고, 부족한 사람 또한 있더라고.

도망가자

나와 함께 도망가지 않을래.
즐길 수 없으면 피해 보지 않을래.

모든 걸 온몸으로 부딪치지 말고 나와 함께 도망가 보자.

도망칠 수도 있지.
피해 볼 수도 있지.

아프면 부딪치지 않아도 괜찮아.

마지막 위로

내가 해 줄 수 있는 가장 위로된 말이 무엇일까. 사람의
감정은 끝도 없이 깊어서 그 앞의 한낱 미물인 난 그 깊이를
헤아릴 수 없다. 그런 내가 너에게 위로된 말을 건넬 수
있을까.

위로가 필요한 너에게 내 말이 전해질지는 모르겠지만, 부디
너에게 닿기를 말해본다.

본디 해가 뜨는 시간이 있다면 해가 지는 시간 또한 있고,
사건이 있다면 그 사건의 끝 또한 있다. 너의 감정도 길다면
길고 깊다면 깊겠지만 끝은 있다고 말해주고 싶다. 끝을 알
수 없는 길을 걷는 너 또는 우리에게 그 끝의 존재를
말해본다.

3장 꿈

이제는 내가 바다가 되려 한다

밤의 바다로 뛰어들었다.

숨을 머금은 코와 입에서는 공기 방울이 부글부글하며
흘러나왔고, 몸속 공기가 점점 빠지며 부력을 잃은 몸은
달빛이 닿지 않는 곳으로 가라앉았다.

잠시 물에 취해 떠올렸다. 날 이곳으로 뛰어들게 한 자들과
이곳으로 뛰어든 나에 대해. 그리고 이곳까지 날 흘려보내 준
바다와 그 물에 대하여. 바닷물 때문에 따가웠던 눈도 생각이
끝나갈 때쯤 적응이 되어 편안하게 느껴졌다. 인어는
바다에서 눈을 떠도 안 아픈 걸까 아니면 나처럼 적응이 된
걸까 라는 한심한 생각까지 들었다.

이곳에서 꽤 긴 시간을 머무른 탓에 목이 타왔다. 분명 앞의
물이 집 정수기에서 나오는 물과 다른 건 느꼈지만 망설임
없이 입을 열어 검은 물을 들이켰고, 검은 물이 목구멍으로
흘러 들어가 내 몸 안의 혈관까지 가득 채워주었다. 몇 분을
마셨을까. 갈증은 아직 가시지 않았지만 내 몸은 이미 검은
물이 터질 대로 가득 차 있었다.

이젠 바닷물이 흐르는 건지 내가 흐르는 건지 알 수 없게
되었다.

검은 물에 물들여진 내 몸과 마음은 이제 바다와 비슷하다.
누군가에게는 이 바다만큼 넓었을 나는 이제 이 바다만큼
검다.

불면증

김담 씨는 자기 전 제발 이번에는 눈을 감았다 떴을 때
내일이 오지 않기를 빌었다.

김담 씨는 분명 매일 다른 날짜 다른 시간을 살지만, 똑같은
하루를 보낸다. 어제와 다름없는 오늘과, 오늘과 다름없는
내일을 산다. 매일 똑같은 하루라 그런지 매일 똑같이
힘들고, 지치고, 무기력하다.

김담 씨는 이제 모든 걸 끝내고 싶었다. 그렇게 지겨운 이
하루를 끝내기 위해 김담 씨는 눈을 감는다. 하지만 다음 날
오전 7시 35분. 김담 씨의 휴대전화에서 알람이 시끄럽게
울기 시작한다.

그 알람을 끊건 김담 씨의 손이었다. 결국, 김담 씨가 끝내려
눈을 감았던 하루는 바로 다음 날 김담 씨가 눈을 뜨며 다시
시작된다.

김담 씨는 지독한 불면증이다.

물웅덩이

쏟아지는 비 사이 웅덩이와 그 웅덩이 앞에 서 있는
누군가가 있다. 누군가는 웅덩이를 빤히 바라보더니 웅덩이에
손을 집어넣었다. 웅덩이가 얕아 손을 넣으면 금세 땅을 만질
수 있을 것이라 생각했던 누군가의 생각과 달리 웅덩이는
끝없이 누군가의 손을 삼켰다.

'풍덩'

빗소리 사이 무언가 물에 빠지는 소리가 들렸다. 누군가는
어느새 사라져 버렸다. 감히 그것에 깊이를 헤아리려 했기에
그곳에 더는 아무도 없었다.

족제비 이야기

족제비는 말했다.

"난 너희를 잡아먹고 100살까지 살 거야."

족제비는 목표를 이루기 위해 주변 동물들을 하나둘씩 먹어치웠고, 결국 주변에는 아무것도 존재하지 않게 되어버렸다. 남은 생명체라고는 족제비 하나뿐인 숲에서 홀로 남은 족제비가 말했다.

"100살이 되면 그 뒤에는 어떡하지?"

족제비는 동물들을 잡아먹을 땐 미처 100살이 다 된 후에 어떡할지를 생각해 보지 않았었다. 하지만 지금 고민한들 어찌하리. 이미 이 황폐해진 숲에선 울음소리 하나 들리지 않고, 그저 찬 바람만이 맴돌 뿐인데.

황폐해진 숲에서 족제비는 100번째 겨울이 오기까지 홀로 찬 바람을 만끽했다.

족제비는 그곳에서 무슨 생각을 했던 걸까. 오로지 목표를 이루는 것만 생각하던 족제비는 100번째 겨울을 맞는 해에 죽었다 한다.

바람

새벽을 떠돌던 바람은 어디에 멈추게 되는 걸까. 내가
바람이라면 깊은 산속의 나무 사이에 머무르고 싶다. 깊은
어둠 속을 떠돌다 어느 산속의 가장 아름다운 나무를 맴돌며
그곳에 멈추고 싶다.

밤 짐승의 울음소리는 자장가가 되어 귓가에 울리고, 그
산속의 가장 아름다운 나무는 포근한 침대가 되어주겠지.

그곳의 하늘은 별이 몇 개나 있을까. 난 별이 아주 많았으면
좋겠다. 새벽의 산속은 조금 무서울지도 모르니 그 별들이
밝게 비추어 주길. 그럼 조금은 안심하고 잠들 수 있을 텐데.

하지만 매 순간 흘러가고 흩어지는 바람은 한자리에 머물 수
없다. 이번에도 꿈이었다.

김담 씨의 첫사랑

누군가 김담 씨에게 물었다.

"담아 넌 첫사랑이 뭐야?"

김담 씨는 잠시 추억에 빠졌다. 김담 씨가 그 옛날에
사랑했던 사람이 누구였을까.

"아마도 별을 새던 사람."

'별을 새던 사람'이란 게 사람의 이름도 아니고 특정하지도
않았기에 김담 씨에게 물은 누군가는 김담 씨의 대답을
이해할 수 없었다.

"그럼 그 사람을 좋아하게 된 이유는 뭐야?"

"난 하루를 살아가는 사람이었거든."

누군가는 또 김담 씨의 대답을 이해할 수 없었다.

"담아 도대체 무슨 말을 하는지 모르겠어."

김담 씨는 희미하게 웃은 후 입을 열었다.

"하루를 살아가는 사람은 별을 샐 시간이 없고, 별을 새는 사람은 하루를 살아갈 시간이 없어. 그때 그곳에는 하루를 살아가느라 가끔 고개를 들 여유가 없었던 나와 별을 새느라 주변을 볼 수 없었던 그 사람이 있었지. 내가 보지 못했던 그 별들을 보고 있는 그 사람이 좋았었어."

누군가는 그제야 김담 씨의 대답들을 이해하게 되었다.

"그럼 그 사람은 지금 어디 있어?"

김담 씨가 대답했다.

"아직도 그곳에 머물러 별을 새고 있지 않을까. 하루를 살아갈 수 없던 사람이었으니 아직도 그곳에서 위를 보고 있겠지."

하루를 살아가는 김담 씨와 별을 새던 그 사람은 더는 만날 수 없지만 아직까지도 각자의 첫사랑으로 남아있다고 한다.

바다가 흐르는 몸

내 몸속은 피 대신 바닷물이 흐른다. 상처 난 곳에 흐른 피를 핥으면 바다의 비릿한 짠맛이 난다.

가슴에 손을 가져다 대니 무언가 움직인다. 아무래도 내 몸 안에 물고기가 헤엄치고 있나 보다.

4번째 왕자님 이야기

적색 왕국과 녹색 왕국 사이 전쟁이 일어났다.

전쟁은 치열했다. 많은 병사와 민간인이 죽어갔고, 살아남은 사람들조차 몇 년에 걸쳐 이어진 전쟁에 지쳐있었다.

그러던 어느 날 적색의 왕국이 먼저 휴전 조건을 내밀었다.

"녹색 왕국의 4번째 왕자를 우리에게 주면 휴전을 하겠다!"

꽤 괜찮은 조건이었다. 4번째 왕자는 왕위 계승과도 상관없었고, 당시 녹색 왕국이 전쟁에서 미세하게 밀리고 있던 찰나였기에 녹색 왕국은 곧바로 4번째 왕자에게 떠날 채비를 명했다.

떠날 왕자의 채비를 돕던 시녀가 갑자기 울며 말했다.

"아이고…, 우리 불쌍한 왕자님 어떡하면 좋아…. 왕자 취급도 못 받으시고 사시다 이리 팔려가듯 적국으로 넘겨지시다니 아이고…."

왕자가 떠난다는 소식을 듣고 울어준 사람은 왕자를 오랜 세월 모신 시녀 하나뿐이었다. 다들 오랜 전쟁이 끝날 수 있다는 생각에 한 것 들떠있었으니.

왕자가 마차에 타기 전 국왕이 왕자를 멈춰 세우고 왕자에게 다가와 왕자를 꽉 안았다. 그리고 왕자 손에 무언가 쥐여주며 작게 속삭였다.

"적색 왕국의 국왕에게 가거든 상황을 살피다 이것으로 국왕을 찔러라."

국왕이 왕자에게 준 것은 작은 단검이었다.

적국의 국왕이 죽는다면 그들의 사기도 떨어지고 혼란스러워질 테니 전쟁에서 이길 기회가 될 수 있을 것이다. 하지만 적국의 한중간에서 그 나라의 국왕을 죽이라니. 그건 그냥 죽으라는 말과도 같았다.

"당신은 끝까지 나라의 아비이군요. 난 방금 그런 당신의 품에서도 따뜻함을 느꼈는데. 어찌 당신은 그리 잔인하오."

왕자는 국왕을 세게 끌어안았다.

"난 이제 이 나라의 왕자가 아니요, 그대의 자식도 아니요.
차라리 내 시녀의 아들로 태어나는 것이 더 행복했을
것이요."

마주 앉은 국왕과 4번째 왕자의 다리 밑에는 누구의 것인지
모를 붉은 피가 떨어졌다.

아가미

물고기야 너의 아가미를 내어다오. 그 갑갑한 물속에서 숨 쉴 수 있는 아가미를 내어다오.

내가 익사하지 않도록.

세상에서 가장 아름다운 죽음

높은 건물의 옥상 끝, 넌 그곳에서 외쳤다.

"세상에서 네가 제일 미워!"

이런, 넌 세상에서 내가 제일 밉구나. 난 세상에서 네가 제일 좋은데. 이런 상황에서도 지금쯤 네 작은 머릿속에는 나로 가득 차 있을 거라는 생각에 기쁠 만큼 널 사랑해.

사랑은 어렵다. 내 감정을 네게 다 퍼부으면 너도 나와 비슷한 감정을 느낄 줄 알았다. 하지만 돌아온 건 사랑이 아닌 미움이라니. 난 네 미움을 견딜 수가 없는데.

"정말로 내가 세상에서 제일 미워?"

"그래! 네가 세상에서 제일 미워!"

생각보다 날 향한 네 미움은 컸구나, 내가 너에게 쏟아낸 감정만큼 넌 내가 밉구나.

"그렇다면 넌 거기 서 있지 않아도 돼. 아무래도 거긴 내 자리인가 보다."

천천히 네가 있는 옥상의 끝으로 다가갔다.

"뭐야 오지 마! 오면 뛰어내릴 거야!"

그래도 난 발걸음을 멈추지 않았다.

도착한 옥상의 끝, 난 떨고 있는 네 손을 잡아당기고, 네가 서 있던 곳에 섰다.

"뭐 하는 거야…!"

"죽으려고."

"뭐?"

"난 내가 세상에서 가장 사랑하는 네가 죽게 놔둘 수 없고, 넌 세상에서 네가 제일 미워하는 나랑은 살 수 없다 하니 이게 맞는 거 아니겠어?"

"그게 무슨….."

"이게 내가 할 수 있는 최선의 사랑이야."

황당해하는 네 모습을 마지막으로 난 뛰어내렸다.

내가 사랑하는 네가 살았고, 네가 미워하는 내가 죽는다.
이것이 세상에서 가장 아름다운 죽음이며 사랑이 아니겠는가.

넌 나의 달

넌 나의 달이야.

매일 밤 찾아와 내가 침대 모서리에 웅크린 그 시간을
비춰주거든.
매일 밤 찾아오지만, 너무 멀어서 만날 수조차 없거든.
매일 밤 떠오르는 넌 내 안에서도 떠오르거든.

그래서 난 해가 밉다.

해가 뜨면 사라지는 넌 해가 지면 다시 찾아오니 난 해가
너무 밉다.

네가 떠나갈 때 나도 널 따라 지구의 반대편으로 날아갈까.
그리고 네가 돌아올 때 널 따라 다시 이곳으로 돌아올까.

넌 나의 달이니까. 그런 나의 달을 내가 무척이나
사랑하니까. 난 그런 널 쫓아다녀야지

시한부

김담 씨는 문득 자신의 남은 수명이 얼마 일지 궁금해졌다.

언제 끝날지 모르는데 지금 이러고 있는 것이 맞을까.

김담 씨는 당장 1초 뒤 죽을지도 모르는데 남은 인생을
이렇게 허비하는 게 맞을까라는 생각이 들었다. 순간순간을
좋은 일만 채워도 모자라는데 하루하루를 허비하고 있으니
비효율적이라는 결론에 도달하게 된 것이다.

하지만 이 논리는 미래가 있을 수도 있다는 생각에
가로막혔다. 만약 앞으로의 미래가 생각보다 길게 남았다면
지금 이런 생각을 하는 것 자체로서도 충분한 시간 낭비가
될 수 있다.

하루를 채울까, 미래를 채울까.

김담 씨는 찰나지만 시한부들을 동경했다고 한다.

애벌레

풀숲 사이에서 애벌레들이 회의를 한다.

"저 나비 놈을 어떻게 처리하지?"

며칠 전 같은 무리의 애벌레 하나가 갑자기 혼자 어딘가로
사라지더니 나비가 되어서 돌아왔다. 혼자 우아한 모습으로
하늘을 나는 나비를 보게 된 애벌레들은 혼자 나비가 되어버
린 애벌레를 원망하고 결국 그 애벌레였던 나비를 처리하기
위한 방안을 모색하는 회의를 하게 된 것이었다.

"나비 놈이 땅에 내려왔을 때 다 함께 덮쳐 날개를 자르는
것은 어떻소?"

"그 후에 잡아두고 나비가 되는 법을 알려달라 합시다!"

"흥, 억지로 날개를 잘렸는데 퍽이나 알려주겠군."

"그럼 잡아두고 나비가 되는 법을 말하면 날개를 자르지 않
겠다고 하는 건 어떻소?"

"오! 그거 좋은 방법이구려!"

"근데 정말 방법을 말하면 날개를 자르지 않을 거요?"

"크큭 멍청하긴 당연히 나비가 되는 법을 알기 위한 거짓말이지!"

그렇게 애벌레들은 나비가 될 수 있다고 기뻐하며 꿈틀거렸다.

내가 빠진 건 바다였나 사람이었나

바다에 빠져버렸다.

춥고 어두운데 안락하다. 껍데기는 추워도 속은 따뜻해지는 느낌. 이대로면 얼어 죽어도 따뜻하겠다.

이런 게 바다인가. 얼어 죽일 것 같아도 속은 따뜻하게 해주는 이런 게 바다인가.

그럼 뭐하나. 속이 다 따뜻해지기 전에 몸이 얼어 죽어버릴 텐데.

미련에도 미련이 생기면

김담 씨가 물었다.

"미련에도 미련이 생기나요."

오래된 나무가 말했다.

"그럼, 무언가에 미련이 생긴다는 건 아직 그거에 대한
여운이 남아있는 것이고, 그 미련마저도 여운이 생긴다는 건
아직 못다 한 게 있는 거란다. 그 아쉬움을 해결해서야
비로소 그 미련이 사라지는 것이지."

김담 씨는 나무의 대답을 듣고 혼란스러웠다. 김담 씨의
미련은 무엇이었을까. 한참을 고민하던 김담 씨는 해가 져갈
무렵 입을 열었다.

"그럼 더는 만질 수도, 볼 수도 없는 것에 미련이 생긴 저는
어떻게 해야 하나요."

김담 씨의 대답을 기다리던 나무는 답할 수 없었다. 오래된
나무조차 사라진 것에 미련을 가져본 적이 없기에.

나무는 대답 없이 푸른 이파리만 흔들어 댔다.

가면무도회

성에서 화려한 가면무도회가 열렸고 사람들은 제각기 다른
가면들을 최대한 호화롭고 아름답게 꾸며 끼고 서로에게 뽐내
보인다.

눈꼬리가 휘어져 아름답게 웃는가면,
금으로 되어 빛나는가면,
그리고 웃으며 빛나는 가면까지.

각양각색의 가면들은 주인의 표정을 숨기기 바쁘다. 모두
행복하고 즐거운 표정의 가면을 쓰고 있지만 저기서 진짜
행복하고 즐거운 이는 몇이나 될까. 서로가 누구인지 모르고,
서로가 어떤 표정인지 모르고, 서로의 감정을 숨기기에 바쁜
저 무도회장 안에서 누가 진짜로 행복하고 즐거울까.

진짜 빛나지 않기에, 진짜 즐겁지 않기에, 진짜 즐겁고 빛날
수 없기에 그 모든 것들을 흉내 내기 위해서 저 가면들을 쓴
것이 아닐까.

가장 먼저 가면을 벗는 자는 용감한 자인가, 어리석은
자인가.

총을 배운 개는 총을 가르친 주인을 쏜다

산속의 작은 오두막.

그곳에서 개의 주인은 개에게 총을 가르친다.

"자, 방아쇠를 당겨 저기 있는 갈색 병을 맞추는 거야."

개는 짧게 짖은 후 털로 덮인 앞다리를 총의 방아쇠에
가져다 댔다.

탕-
쨍그랑

"명중이구나, 역시 직접 가르친 보람이 있어! 하하하!"

개가 쏜 한발의 총알은 갈색 병을 관통했고 그걸 본 개의
주인은 기뻐했다.

개도 자신이 성공했다는 게 좋은지 시끄럽게 짖으며
뛰어다녔다.

그날 밤 개의 주인은 달빛이 서린 오두막 안에서 잠이
들었다. 늦은 새벽, 개는 마당에 떨어져 있던 총을 주워
주인이 잠든 오두막 안으로 들어간다.

탕-

개가 쏜 두 번째 총알은 개에게 총을 가르친 개의 주인의
머리를 관통했다.

웡웡-

개는 자신이 성공했다는 게 좋은지 시끄럽게 짖으며
뛰어다녔다.

.

.

.

그들이 당신 곁에 머무는 걸 수긍했다 생각하지 말아라. 단지
그들은 당신 곁을 떠나는 법을 모르는 것일 뿐이다.

팔레트

모든 걸 담은 색이었다.

빨간색은 빨강이 좋데. 빨강 한 줌.
파란색은 파랑이 좋데. 파랑 한 줌.
노란색은 노랑이 좋데. 노랑 한 줌.
초록색은 초록이 좋데. 초록 한 줌.
보라색은 보라가 좋데. 보라 한 줌.
주황색은 주황이 좋데. 주황 한 줌.

.

.

.

그럼 이제 빨강, 파랑, 노랑, 초록, 보라, 주황, 여러 가지색이 모든 걸 담은 난 모두가 좋아하는 색이겠지? 난 이제 누구를 물들일까? 누구에게 내 한 줌을 줄까?

기대에 찬 난 왜 점점 어두워지는 건지. 내가 물들일 수 있을까? 왠지 더 이상 내가 누군가를 물들이는 게 아니라 삼켜버릴 것만 같았다.

내가 원한 색은 뭐였지.

꿈

구름 위에도 비가 떨어질까. 비가 온다면 난 구름 위에
나무를 심어야지.

구름 위에도 천둥이 칠까. 천둥이 친다면 난 그 천둥이
보라색이면 좋겠어.

그리고선 나무 옆에 유리로 된 집을 짓고, 창문가에 포근한
흰 이불을 얹은 침대를 둬야지. 빗소리와 보라색으로 물든
구름을 보기 위해서. 그리고 그 위에서 이불을 돌돌 말고
자는 거야. 얼마나 따뜻할까. 구름 위로 떨어지는 비와,
주변을 물들이는 보라색 천둥 그리고 그 사이에서 흔들리는
나무와 날 품어주는 따뜻한 침구는.

너무 터무니없는 이야기지만 꿈이기에 허황된 걸 꿈꿀 수
있고 바랄 수 있는 게 아닐까.

난 구름 위 세상을 꿈꾼 건가.

지나간 어제에 우리가 있을까

지나간 어제에 우리가 있을까.

파고가 말해 어제의 우리로 돌아가자고.
바람이 말해 어제의 우리로 돌아가자고.

저 파도와 바람은 어제에서 온 걸까.

우리 저 바람을 타고 파도에 치여 어제로 가볼까.

어제로 가서 오늘에 우리를 새겨 넣자. 내일의 파도와 바람이
우릴 부를 수 있게.

지나간 어제에 우리가 있을 수 있게.

인생 게임

난 누구와 싸우고 있는 것인가.

게임판은 원으로 되어있고 난 그 위에서 상대 없이 혼자
주사위를 계속 던지는 느낌이다. 아무리 돌고 돌아도
제자리로 돌아오고 도중 밖으로 나가는 출구는 보이지
않는다. 이 말도 안 되는 게임에서 이길 수 따위는 보이지
않고, 질 수 또한 보이지 않는다.

이미 의욕도 잃어버려 목적 잃은 주사위만 쉼 없이 떨어질
뿐이다. 앞으로 한 칸, 앞으로 두 칸, 앞으로 세 칸, 네 칸,
다섯 칸, 여섯 칸….

게임판을 부수지 않는 이상 평생 주사위는 굴러갈 것 같다.

끝나지 않는 것에서 끝을 찾으려면 어떻게 해야 할까.

타인의 언어

"담아 그건 그런 뜻이 아니야."

김담 씨는 당황했다. 분명 그건 그건데 그게 아니라니.
이해할 수 없었다.

"그건 그거지 왜 그런 뜻이 갑자기 생기는 거야."

"걔는 그걸 말할 때 이런 기분이고 이런 생각이었을 거니까
그러지, 담이 너는 똑똑한데 이런 거에는 유독 약하다니깐?"

이게 당최 무슨 말이란 말인가. 그럼 그렇다고 말을 해야지
다르게 말해 놓고 '난 이런 기분으로 이런 생각을 하며
말했으니 그건 사실 이런 뜻이야.'라고 하면 어찌 이해하란
말인가.

"같은 언어를 쓰는 게 아닌 것 같아. 난 그런 말 배운 적
없어. 나 빼고 다른 사람들은 전부 독심술이라도 할 줄 아는
거야?"

"푸흐흐, 독심술이라니 크큭, 그럴 수도 있겠네."

당황한 김담 씨의 주변은 웃음소리가 맴돌았다.

금붕어 이야기

전 작은 어항에 살고 있습니다.

며칠 전에 같은 어항에 살던 금붕어 씨가 죽었습니다. 좁은 어항에서의 생활에 우울증을 앓더니 결국 배를 뒤집고 죽어버리더군요. 곧 누군가 와서 살짝 부패된 금붕어 씨의 시체를 치워줬습니다.

금붕어 씨는 종종 두툼한 입을 벙긋거리며 저한테 말을 걸곤 했습니다.

"난 바다에서 살고 싶어"

"금붕어 씨는 민물고기라서 바다에 가면 곧 죽을 텐데."

"여기서 우울증으로 죽거나 바다에서 수분이 다 빠져 죽거나 죽는 건 똑같아. 난 이런 좁은 어항에서 죽는 것보다 넓은 바다에서 죽고 싶어"

늘 똑같은 대화였습니다. 금붕어 씨가 바다 타령을 하면 전 현실을 알려주고 금붕어 씨는 꿈을 꾸는 그런 대화였습니다.

결국 금붕어 씨는 꿈꾸던 바다에 가지 못하고 좁은 어항에서
죽었습니다.

"감히 바다를 꿈꾸더니 꼴좋구나."

전 오늘도 좁은 어항을 끝에서 끝까지 수영해 보며 새로운
금붕어 씨가 오면 그때는 조금 더 잘 대해줘야지 라고
생각합니다. 좁은 어항이라도 넓게 느껴질 때가 있으니까요.

모르는 척

"하하, 사실은 다 알고 있었다네!"

"역시 자네야. 나도 자네라면 다 알고 있을 줄 알았다네!"

속임수를 꿰뚫어 본 자와 속임수를 꿰뚫렸지만 사실 꿰뚫릴
줄 알고 있던 자. 둘 중 누가 더 영리하고 멍청할까.

난 눈치 없는 광대였다

눈치 없는 광대는 오늘도 어색한 장막 속에서 시시한 농담 하나를 던져 본다.

하지만 그 노력이 무색하게도 던져진 농담은 관중 중 그 누구에게도 전해지지 못하고 땅까지 처박히게 되었다. 광대는 다시 한번 시시한 농담을 던졌다. 역시나 또다시 땅에 처박혔다.

광대는 생각했다. 내 목소리가 작았던 것이라고, 주변이 너무 시끄러웠던 것이라고. 광대는 수많은 변명 거리를 생각했다.

광대는 농담에 애착이라도 있었는지 관중의 반응 하나 없었지만, 공연이 거의 끝나갈 때까지 광대의 입은 멈추는 법을 몰랐다.

공연이 끝나기 몇 분 전 관중 중 하나가 꾹꾹 뭉친 휴지 하나를 광대에게 던졌다.

"이 눈치 없는 광대 놈아 네 목소리가 안 들리는 것도, 주변이 시끄러운 것도 아니다!"

주변에서는 폭소가 터져 나왔다. 모두가 무대 중앙의 광대를
바라보고 손가락질하며 비웃었다.

광대는 그런 사람들의 비웃음에 고개를 숙이고 말았다.

고개를 숙인 광대가 느낀 것은 부끄러움도, 속에서
끓어오르는 화도 아닌 드디어 모두가 웃어준다는 것에 대한
안심이었다.

블랙홀

침대에 누운 채 천장을 보고 있으면 종종 어딘가 빨려
들어가는 느낌이 든다. 몸의 중심부쯤부터 서서히 일그러지며
오그라들다가 점점 온몸이 빨려 들어가는 느낌이 든다. 내
침대 어딘가에 블랙홀이 생긴 것 같다. 분명 잠에든 것도
아니고, 몽롱한 것도 아닌데 그런 느낌이 든다. 시간이
지나면 뇌도 빨려 들어갔는지 멍하다.

종종 내 침대에는 블랙홀이 생긴다.

몽상가

가끔 세상에 없는 것을 꿈꾼다. 구름 위 세상이라던가, 총을 쏘는 개, 회의하는 애벌레 같은 것들을 상상해낸다.

내 몽상이 현실이었으면 어떨지 기대가 간다.

비현실적인 것들 사이에서 꿈을 꾼다면 그 꿈은 현실적일 수도. 그때는 지금 이 일상을 꿈꿀까.

미역 이야기

어느 바다, 미역 하나가 쉴 새 없이 헤엄치는 물고기들을
보고 생각한다.

'나도 헤엄치고 싶다. 나도 저들처럼 지느러미를 움직이고
싶다. 아주 멀리까지 헤엄칠 테야, 이 바다의 끝까지 헤엄쳐
볼 테야.'

미역은 흩날리고 있는 자신의 줄기를 지느러미로 착각하는
모양이다.

한참 헤엄 연습을 하던 미역의 옆에 이름 모를 물고기 한
마리가 다가왔다.

"너 뭐 하는 거야?"

"나도 너희처럼 아름답게 헤엄치고 싶어서 헤엄 연습
중이야!"

그러자 물고기는 그런 미역을 비웃었다.

"하하하, 아이고 미역이 물고기 잡네."

"왜 웃는 거야!"

"크큭, 멍청한 미역 같으니. 넌 미역이 노력한다고 물고기가
될 수 있다고 생각하는 거야?"

물고기는 숨이라도 넘어갈 듯 웃어댔다.

"누구더러 멍청하다는 거야! 멍청한 건 내가 아니라 너야! 난
꼭 헤엄치고 말 거라고!"

물고기는 미역의 말에 한참을 더 웃다 입을 열었다.

"너 새라는 걸 알아?"

"그게 뭔데?"

"새는 이 바다 위에 물 없는 곳에서도 헤엄을 치는 놈이야."

"물도 없는데 헤엄을 친다고? 우와 신기해!"

"맞아, 참 신기하지. 그래서 어느 날 내 친구 놈 하나가 새가
되고 싶다고 하더라, 물고기 주제에. 그날부터 내 친구는
매일 물 위로 뛰어오르는 연습을 했어. 나도 처음에는 그

녀석을 비웃었지만, 열심히 연습하는 모습을 보고 그 녀석의
꿈을 응원하기 시작했지. 그날도 내 친구는 물 위에서
헤엄치는 연습을 하고 있었어. 그때였지, 저 멀리에서 그
새라는 녀석이 헤엄쳐 오더라. 그 모습을 보고 걔는 힘이라도
얻었는지 힘차게 뛰어올라 이때까지 뛰어올랐던 높이보다

훨씬 높은 높이까지 올라갔어."

"우와! 그럼 걔는 새가 된 거야? 물 위에서 헤엄치는 걸
성공한 거야?"

"어떻게 보면 성공했다고 할 수도 있겠네. 그 새가 갑자기 큰
입을 쩍 벌리더니 높이 뛰어오른 내 친구를 한입에
삼켜버리고 떠나버렸거든."

"뭐? 그… 그럼 걔는 죽은 거야? 새한테 먹혀서?"

"응, 하지만 꿈은 이뤄졌잖아?"

"그게 무슨….'

농담 같은 물고기의 말에는 웃음기가 없었다.

"그래서 나도 네 꿈을 이뤄주려고, 그 새가 내 친구의 꿈을
이뤄줬듯이."

그렇게 헤엄치길 원하던 미역은 물고기에게 잡아먹혔다.
미역의 꿈은 이뤄졌을까."

최선의 선택

김담 씨는 지금 지나간 날에 했던 자신의 선택을 후회
중이다.

종일 후회하며 괴로워하던 김담 씨에게 오래된 나무가
물었다.

"왜 후회를 하는 거니."

김담 씨가 대답했다.

"예전에 했던 제 선택이 만족스럽지 못해요. 내가 왜 그때 더
나은 선택을 하지 못했을까 하는 생각을 할수록 힘들어요."

나무는 김담 씨의 고민을 이해할 수 없었다. 분명 김담 씨가
선택하던 그 순간으로 돌아가 다시 선택할 수 있다면 똑같은
선택을 했을 것이라는 게 나무의 눈에는 뻔히 보였기
때문이었다.

김담 씨가 선택했을 때 김담 씨는 당시의 상황에서 최선의 선택을 했을 터이다. 그때로 돌아간다 하면 또다시 그 상황에 놓이게 될 것이고 똑같은 최선의 선택을 하게 될 텐데 뭐가 달라진단 말인가.

나무는 처음으로 김담 씨가 어리석다고 생각하였다.

욕조에서

흰 욕조에 물을 넘치게 받았다. 춥지 않기를 바라 따뜻한
물로 가득 채우니 욕실은 습기가 뿌옇게 차올랐다.

발끝부터 시작해서 목 끝까지 천천히 물에 담갔다. 따뜻한
물의 온기가 몸을 따뜻하게 감쌌고 몸이 따뜻해지니 정신이
몽롱해졌다.

잠시 눈을 감고 이 순간을 즐겼다. 곧 물이 식을 걸 알고
있었으니.

예상대로 물은 금방 식었고 가만있는 것보다 더한 추위가
사무쳤다.

어느 한 쓰레기의 이야기

난생처음 숨을 참고 들어간 바닷속은 이루 말할 수 없이
고요했습니다. 철썩이는 파도 소리가 끝나지 않는 겉과는
달리 물속은 먹먹한 물소리가 전부였거든요.

그렇게 눈을 감고 흘러가다 보니 어느새 심해까지 왔습니다.
바닷속은 처음이라 모든 게 새로웠지만 심해는 또 다른 세상
같았어요. 새로운 세상에 무력함마저 들었지만 그건 더는
중요한 게 아니었지요.

그렇게 저는 그곳에 평생 고여있기로 했답니다.

당신은 나의 신

아마도 당신은 신이지 않을까요.

당신이 걸어가는 길이 제게는 지는 꽃도 다시 피고, 어두운 하늘도 밝아지는 느낌이 들어요.

그런 당신의 길로 끌려 들어간다면 그것이 구원이겠네요.

아가미 없는 물고기

아가미만 도려진 물고기는 아무리 제집이 물속이라 하여도
그곳에서 살 수 없다.

아가미 없는 물고기는 땅에서도, 물에서도 살 수 없기에
죽어야만 하고, 자신의 아가미가 사라진 줄도 모르는 가엾은
물고기는 죽어가면서도 물에서 헤엄친다.

아가미 없는 물고기의 헤엄은 살아가는 것일까, 죽어가는
것일까.

조개껍데기

김담 씨는 바닷가를 산책하다 아름다운 조개껍데기 하나를
주웠다. 김담 씨는 작고 예쁜 조개껍데기를 주변 사람들에게
자랑하기 시작했다.

"이거 보세요. 조개껍데기에서 바다가 보여요."

사람들은 대뜸 흰 조개껍데기를 보여주며 바다가 보인다는
김담 씨를 이상하다 여겼다. 김담 씨는 그런 사람들을
이상하다 여겼다.

조개 안에서는 아름다운 바다가 일렁이고 있는데 다른
사람들은 보이지 않는 모양이었다.

김담 씨는 다시 조개를 바라보았다. 조개는 여전히 바다를
담고 있었다.

"이건 나만의 바다구나"

하루살이

난 이때까지 몇 번의 하루를 살았을까.

세기도 힘든 많은 날을 보내왔다. 매 순간은 과거가 되어
보낼 시간이 보낸 시간이 되고, 겪을 일들이 겪은 일이 된다.

한 치 앞 미래도 볼 수 없는 난 언제나 누군가의 말에
속절없이 떠밀려난다. 똑같이 미래를 모르는 자들인데 그들의
믿음 하나 담긴 말들은 날 미친 듯이 흔든다. 또 어떤 일들이
일어날까, 또 어떤 걱정을 해야 할까. 셀 수 없이 많은
경우의 수중 진짜로 일어날 일은 하나인데 걱정해야 할 건
전부다.

이런 걱정이 없는 날이 있을까. 하루 살기도 벅찬데 내일을,
그리고 내일의 내일까지 걱정하는 내가 한심해 보인다.
차라리 내가 하루살이였다면 오늘 하루를 최선을 다해 살았을
텐데.

그래 난 걱정 없이 살아야겠다. 난 걱정 없는 하루살이가
되어 걱정 없는 오늘을 보내다 다음 생을 기약하며 내일을
죽어야겠다.

내일은 새로운 인생이다. 새로 태어나 새로운 인생을
살아야지. 이렇게 하루하루 새로운 하루를 보내야지. 어제의
걱정은 어제에 묻어두고 새로운 하루를 살아야지. 난
하루살이가 되어 하루를 살아야지.

|작가의 말|

제 글을 읽어주셔서 감사합니다. 평소 제가 바란 것들과
상상한 것들, 꿈꿨던 것들을 담고 싶었습니다. 어릴 적 책 한
권을 읽고 그 글의 분위기에 취했던 적이 있었습니다. 그래서
저도 글로 제가 느끼는 분위기와 감정을 이 글을 보게 된
당신에게 전해보고 싶었습니다. 앞으로 나아가다 라는 말이
저에게는 막연하게 들려옵니다. 그래서 남을 수 있다면
현재에 남고 싶었고 이건 제 진심입니다, 제 글이 당신에게
닿았는지는 알 수 없지만, 그래도 당신이 이 글을 봐주었다는
것에 감사합니다.